# 桂林仙境

## GUILIN THE FAIRYLAND

**Selected Photographic Works of Jin Zhifang**

1. 象鼻山之晨

Elephant Hill in the morning

象鼻山の朝

상비산의 아침

La Colline en trompe d'éléphant au matin

Elefantenrüssel-Hügel im Morgengrauen

L'alba della collina della proboscide dell'elefante

2. 伏波山　　　La Colline de Fubo
Fubo Hill　　　Fubo-Gipfel
伏波山　　　La collina Fubo
복파산

3. 試剑石
Sword-Testing Rock
試劍石
시진석

La roche où on essaie son épée
Schwertprüfstein
La pietra del collaudo della spada

. 独秀峰

Solitary Beauty Peak

独秀峰

**독수봉**

Le Pic de Duxiu

Gipfel der Einzigartigen Schönheit

Il picco della bellezza solitaria

5. 尧山云霞

Rosy clouds over Yaoshan Mountain

尧山の霞み

**요산노을**

Les nuage vermeils à Yaoshan

Wolken auf dem Yao-Berg

La nube rosseggiante sulla collina di Yaoshan

6. 骆驼峰
Camel Hill
骆驼峰
**락타봉**
La Colline de Chame
Kamel-Hügel
La collina di cammell

7. 塔山神光
Pagoda Hill highlighted by sunbeams
塔山の光リ
탑산의 신광

Lumière miraculeuse de la Colline de la Pagode
Wunderglanz über dem Pagode-Hügel
La luminosità sacra della collina di pagoda

8.榕湖夜景

The Banyan Lake at night

榕湖夕暮れ

**용호야경**

Der Banyan-Baum See am Abend

Les paysages nocturnes du lac de banians

杉湖双塔

Twin towers in the Fir Lake

杉湖双塔

**삼호쌍탑**

Die Zwei Pagoden auf dem Spießtannen See

Les deux pagodes dans le lac de cèdres

9.《印象·刘三姐》之夜

Impression · Singer Liu Sanjie

『印象·劉三姐』の夜

**유산제**

Die drite Schwester Liu im Eindruck

Impricion,Liu Sanjie

Impresión,Liu Sanjie

10. 芦笛岩仙宫       Le palais féerique dans la Gotte de Pipeau
Reed Flute Cave    Märchenschloß in der Schilfflöten-Höhle
芦笛岩の仙宫     Il palazzo fantastico dei flauti di canna
**노적암**

11. 仙境泛槎
Rowing a bamboo raft on the fairyland-like river
仙境での舟遊びを楽しむ
선경이 나타나다

Faisang une partie de radeau dans un pays enchanteur
Floß im Märchenland
Andare in barca nella località affascinante

12. 山清水秀
Green hills and clear waters
山紫水明
산청수수
Les montagnes ensoleillées et les eaux limpides
Grüne Berge und klares Wasser
Le verdi colline e le acque limpide

13. 水明如镜
Water as smooth as a mirror
鏡のような清水
거울처럼 맑은물
Les eaux limpides comme un miroir
Klares Wasser wie ein Spiegel
L'acqua liscia come uno specchio

14. 黄布滩清影
Still reflections at the Yellow Cloth Shoal
黄布滩の倒影
황부탄 그림자

Le Haut-fond de Huangbutan
Spiegelbild in der Huangbu-Untiefe
Il riflesso chiaro della secca Huangbu

15. 漓江之夏
The Lijiang River in summer
漓江の夏
이강의 여름
La Rivière Li en été
Li-Fluß im Sommer
L'estate del fiume Li

16. 雾漫仙山
The mountains envelo-ped in mist
霧満ちる仙山
**안개에 잠긴 선산**

Les nuages autour des monts féetiques
Wundergipfel im Nebel
Le colline fantastiche coperte dalla nebbia

17. 山青青　水碧碧
The green hills and clear waters
山の緑　水の青さ
산이 푸르고 물이맑다

Les montagnes ensoliellées et les eaux Limpides
Grìne Berge und klares Wasser
Le colline cos  verdi e le acque tale limpide

18. 九马画山秀色

Mural Cliff of Nine Horses

九馬画山の風景

구마화산

La falaise naturelle à neuf chevaux

Neun-Pferde-Gemäldeberg

La bellezza della collina del dipinto dei nove cavalli

19. 雾锁群峰
The hills enveloped in mist
霧の中の峰
안개속의 봉우리
Les monts enfermés par les nuages
Gipfelwelt im Nebel
Picchi coperti dalla nebbia fitta

20. 奇峰林立

A forest of fantastic peaks

奇峰林立

**기봉이 수림을 이루다**

Les monts étranges

Gipfel dicht nebeneinander

Picchi strani sovrastano come
una foresta

21. 朝笏山

The Tablet Hill

朝笏山

**조후산**

La Colline de Tablette

Chauhu-Gipfel

La collina Chaohu (la collina
della tavoletta imperiale)

22. 山环水绕

A land of surrounding mountains and meandering rivers

山水に囲まわる

물이 굽굽이 흐르다

Les montagnes et les eaux entourées

Der gewundene Fluß um die Gipfel

Colline circondate dalle acque

23. 兴坪佳境
The beautiful scenery at Xingping
興坪名所
흥핑

Le beau paysage à Xingping
Die Landschaft in Xingping
La località affascinante a Xingping

24. 渔舟唱晚　Les radeaux des pêcheurs dans la nuit
Returning fishing rafts at dusk　Fischboote in der Abendszenerie
夕日の中の漁舟　Il notturno delle barche da pesca

어부의 노래

25. 清幽　Le calme
A spot of peace and quiet　Malerische Stille
清幽　La tranquillità

청유

26. 碧莲峰      La Colline de Lotus vert

Green Lotus Peak      Grünlotos-Gipfel

碧蓮峰      Il picco del loto verde

**필연봉**

27. 晴岚

Haze on a fine day

晴天下の山霧

산중의 수증기

La brume légère au soleil

Der Dunst im Gebirge

La foschia serena

. 书童山　　　La Colline de Gamin
Page Boy Hill　　Schulbube-Hügel
書童山　　　La collina dell'alunno
수동산

29. 烟霞明灭
Changing light paints the mist and clouds in multiple colours
霞
안개가 지다

Les nuages vermeils tremblotent
Nebel und Wolken in der Dämmerung
La nebbia alternata con la foschia

30. 清涼世界
A water buffalo finds itself a cool spot on a hot summer day
清涼世界
**청량세계**

Un monde frais
Kühle  Umgebung
Il mondo fresco e rinfrescante

31. 江秋      La rivière en automne
Autumn waters      Herbstlicher Fluß
秋の川      L'autunno del fiume
강구

32. 云蒸霞蔚
Radiant rosy clouds
霞み
경치가 화려하다

Les nuages empourprés s'amoncellent
Farbige Wolken im Dunst
Tramonto stupendo dopo aver volatilizzato la nuvole

33. 丽日江天
Waters under a bright sky
晴天下の川
밝은 태양

Un soleil splendide entre la rivière et le ciel
Die Landschaft in der schönen Sonne
Il cielo e il fiume nel giorno sereno

34. 旭日东升

The sun rises in
the eastern sky
朝日が東から昇る
**아침노을**
Le lever du soleil
à l'est
Die Morgensonne
Il sole nascente alz-
andosi a oriente

35. 千年古榕

The Big Banyan aged
over a thousand years
千年の古榕樹
천년고용나무
Le grand Banyan
Der alte Banyanbaum
Il Baniano millenario

36. 江山夕照
The river and hills bathed in the glow of the setting sun
江山に映る夕焼け
**저녁의 강산**

La rivière et les montagnes au soleil couchant
Die Landschaft im Abendschein
Fiumi e monti al tramonto

37. 杜鹃春晓
Blooming azaleas on a spring morning
春の暁

봄날의 두견화

Les azalées à L'aube du printemps
Azaleen im Frühling
L'azalea della primavera appena arrivata

38. 高田朝霞                       Les nuages de l'aube à Gaotian

    The morning glow, Gaotian      Gaotian im Morgenrot

    高田朝の光リ              Il sole mattutino sopra il paesino Gaotian

    **고전의 아침**

39. 江畔牧牛

Cattle grazing on the riverside

江畔牧牛

강변의 물소

Menant paître les boeufs au bord de la rivière

Kuhhirt am Fluß

La custodia dei buoi in riva al fiume

40. 宝鼎瀑布

Baoding Falls

宝鼎の滝

**보정폭포**

Cascade de Baoding

Baoding-Wasserfall

La cascata Baoding

41. 龙脊高秋

A clear autumn day at the Dragon Spine Ridge

龍脊の秋

**용길의 가을**

Longji en automne

Terrassenfelder im Herbst

Lo scenario autunnale di Longji

43. 山乡晨曲
Morning Song of the Mountain Village
山村の朝
민속풍정원의 야밤
Bergdorf in Frühe
Le matin de village de montagne
Un villaggio sulla montagna di mattina

. 龙脊晓雾
Dragon Spine Ridge covered with a veil of morning mist
龍脊の朝霧
용길의 안개
Brume à l'aube de Longji
Terrassenfelder im Morgendunst
La foschia dell'alba di Longji

45. 绿竹隐幽

A secluded area of bamboo groves

緑の竹

**대나무**

Les bambous verts et calmes

Ruhige und reizvolle Bambusse

La tranquillità nascosta tra i bambù verdi

**图书在版编目(CIP)数据**

桂林仙境 / 金志方摄 . —桂林:漓江出版社，2002.4（2007.4 重印）
(金象鼻旅游图书系列)
ISBN 978-7-5407-2824-3
Ⅰ．桂… Ⅱ．金… Ⅲ．风光摄影—桂林市—摄影集 Ⅳ .J421.673

中国版本图书馆 CIP 数据核字(2002)第 017230 号


**桂林仙境**

(本社编)

漓江出版社出版发行

(广西桂林市安新南区356栋)
邮政编码:541002
发行部电话:(0773)3896171
印刷:深圳当纳利印刷有限公司
开本 889 × 1194   1/16   印张 3
2006年6月第2版   2007年4月第 2 次印刷
印数:19001-39000 册
ISBN 978-7-5407-2824-3
        (002000)